Byd Natur

Luned Aaron

I Mam a Dad, gyda diolch.

Argraffiad cyntaf: 2018
ⓗ testun a lluniau: Luned Aaron 2018
Dylunio: Eleri Owen

Cyhoeddwyd gyda chymorth Cyngor Llyfrau Cymru

Rhif llyfr rhyngwladol: 978-1-84527-648-5

www.carreg-gwalch.com

1

un

2
dau

3
tri

4
pedwar

5
pump

6
chwech

7
saith

8

wyth

9
naw

10
deg

11

un deg un

12

un deg dau

13

un deg tri

14

un deg
pedwar

15

un deg pump

16

un deg chwech

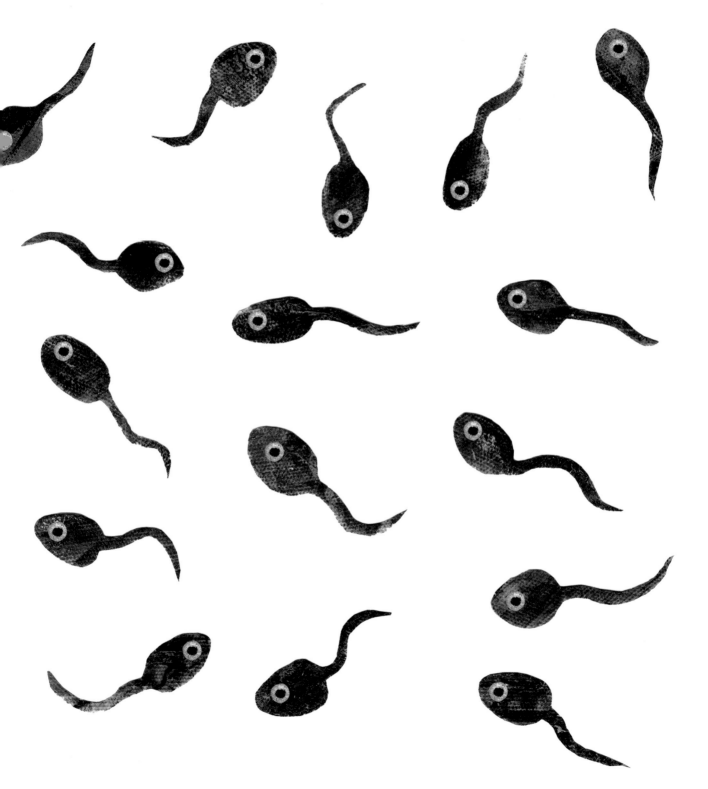

17

un deg
saith

18
un deg
wyth

19

un deg
naw

20
dau ddeg

123 Byd Natur   123 Nature

1 un mochyn daear
one badger

2 dau geffyl
two horses

3 tri titw tomos las
three blue tits

4 pedwar cranc
four crabs

5 pum moronen
five carrots

6 chwe physgodyn jeli
six jellyfish

7 saith tomato
seven tomatoes

8 wyth cragen
eight shells

9 naw gwennol
nine swallows

10 deg gwlithen
ten slugs

11	un deg un o glychau'r gog	eleven bluebells
12	un deg dau deilen	twelve leaves
13	un deg tri blodyn	thirteen flowers
14	un deg pedwar pysen	fourteen peas
15	un deg pump pili-pala	fifteen butterflies
16	un deg chwech penbwl	sixteen tadpoles
17	un deg saith deilen meillion	seventeen clover leaves
18	un deg wyth mwydyn	eighteen worms
19	un deg naw deilen eiddew	nineteen ivy leaves
20	dau ddeg morgrugyn	twenty ants

Beth am ddarganfod mwy o gyfres Byd Natur?

"Tra bod ambell lyfr wedi ei gyhoeddi yn ystod y blynyddoedd diwethaf sy'n cyflwyno'r wyddor Gymraeg i blant, nid oes yr un wedi taro tant acw rhywsut. Mae *ABC Byd Natur* yn wahanol. Dyma gyfrol clawr caled hardd. Cyflwynir llythrennau ein hiaith drwy gyfrwng lluniau sy'n deillio o fyd natur. Ceir adlais o waith Eric Carle yn y cyfuniad hyfryd o ddeunyddiau a lliwiau yn nelweddau 'collage' Luned Aaron.

Heb air o gelwydd, dyma gyfrol fendigedig a fydd yn siŵr o greu argraff ar blant bach."

Mari Siôn, *O'r Pedwar Gwynt*

Yn dilyn llwyddiant ysgubol *ABC Byd Natur* gan Luned Aaron, enillydd gwobr Tir na n–Og 2017, mae *Lliwiau Byd Natur* yn boeth yn y siopau!

Fel *ABC Byd Natur*, byd natur sy'n ysbrydoli lluniau lliwgar y gyfrol hon. Dyma gyfle gwych i blentyn nabod lliwiau yng nghwmni Mam, Dad, Nain neu Taid cyn mentro i'r ardd a phrofi holl liwiau'r enfys. Hefyd, cawn ein cyflwyno i sawl lliw arall sy'n cuddio yn ei chist.

"Yn sicr, dyma gyfrol anrheg hyfryd i fabi neu blentyn bychan sy'n dechrau adnabod y byd a'i bethau, a ffordd rad iawn o gael gweld rhai o luniau deniadol a difyr Luned Aaron."

Gwenan Mared, *Barn*